folio benjamin

TRADUCTION DE MARIE-FRANCE DE PALOMÉRA

ISBN : 2-07-054783-3
Titre original : *Princess Smartypants*
Publié par Hamish Hamilton, Londres
© Babette Cole, 1986, pour le texte et les illustrations
© Éditions du Seuil, 1986, pour la traduction française
© Gallimard Jeunesse, 2001, pour la présente édition

Numéro d'édition : 140875
Loi n° 46-956 du 16 juillet 1949
sur les publications destinées à la jeunesse
1er dépôt légal : octobre 2001
Dépôt légal : novembre 2005
Imprimé en Italie par Editoriale Lloyd
Réalisation Octavo

Babette Cole

La princesse
Finemouche

GALLIMARD JEUNESSE

La princesse Finemouche
ne voulait pas se marier.
Cela lui plaisait bien d'être
une demoiselle.

Comme elle était très mignonne
et très riche, tous les princes
convoitaient sa main.

Mais la princesse désirait vivre
dans son château,

avec ses petits chéris
et n'en faire qu'à sa tête.

« Il serait temps que tu te pomponnes
un peu, lui dit la Reine-sa-Mère.
Arrête de tripoter ces bestioles
et trouve-toi un mari ! »

Les prétendants ne cessaient de venir au château et de faire les intéressants.

« Okay, annonça la princesse Finemouche,
j'accorderai ma blanche main à celui qui
triomphera des épreuves que je lui imposerai. »

Elle demanda au prince Beaugazon
d'empêcher les chenilles
de se goinfrer dans son jardin.

Elle pria le prince Risquetout
de nourrir ses petits chéris.

Elle défia le prince Elvis
à un concours de rock
en patins à roulettes.

Elle invita le prince Vieutacot
à faire une balade à moto.

De la plus haute tour, elle appela
le prince Vertigo à son secours.

Elle envoya le prince Malabar
couper du bois dans la forêt du Roi.

Elle suggéra au prince des Arçons
de dégourdir un peu son poney.

Elle dit au prince Carpette d'emmener
la Reine-sa-Mère faire des emplettes.

Elle ordonna au prince Tuba
de récupérer son anneau magique

dans le bassin des poissons rouges.

Aucun des princes ne sortit
victorieux de l'épreuve.
Ils repartirent tous vexés
comme des poux.
« Ouf ! » dit Finemouche
qui se croyait sauvée.

C'est alors que le prince Flambard
sonna à la porte du château.

Il empêcha
les chenilles
de dévorer
ses plates-bandes…

il gava ses petits
chéris…

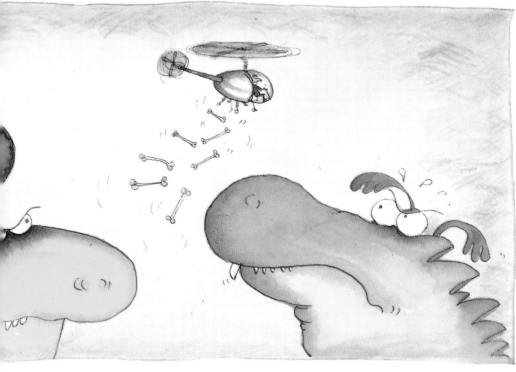

… dansa et
patina jusqu'à
l'aube…

fit des kilomètres
à moto.

Il escalada la plus haute tour
et vint à son secours.

Il dénicha du petit bois dans la forêt du Roi.

Il réussit même à dompter son sale poney.

Il emmena la Reine-sa-Mère
faire des emplettes…

et récupéra l'anneau
dans le bassin des poissons rouges.

Le prince Flambard ne trouvait
pas la princesse si fine mouche
que ça. Alors, elle lui donna
un bai-ser-ma-gi-que…

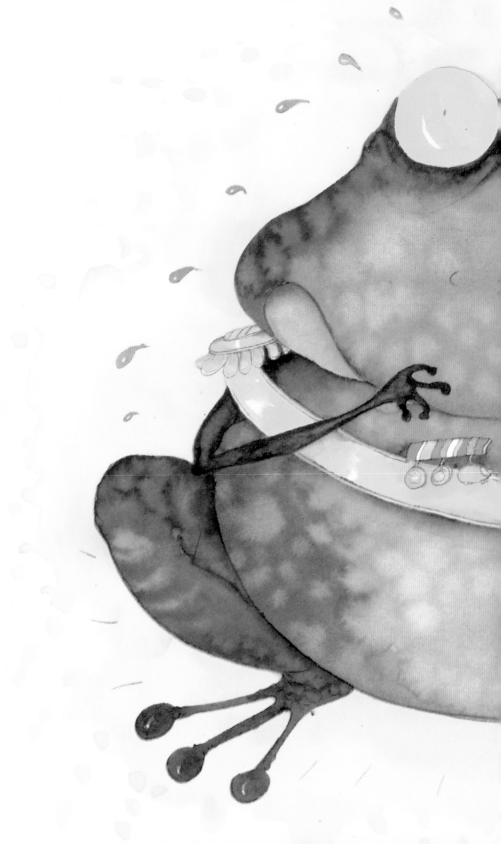

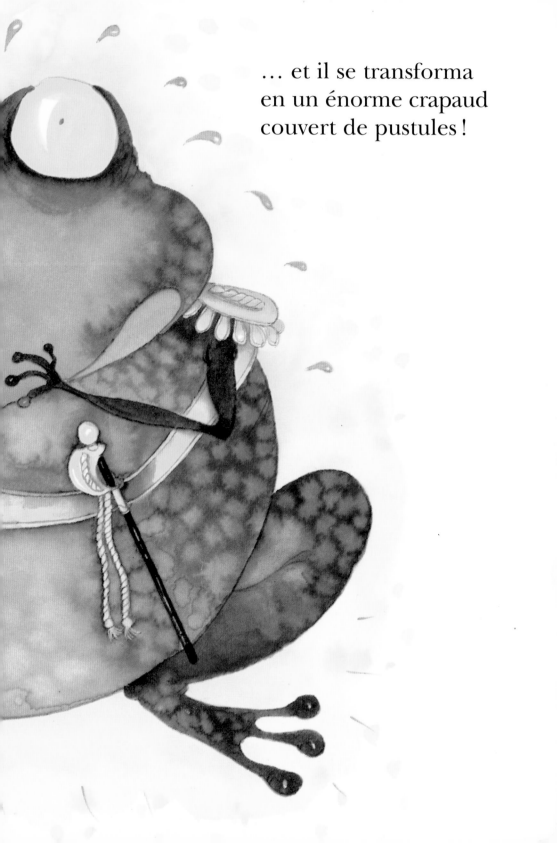

... et il se transforma
en un énorme crapaud
couvert de pustules !

Le prince Flambard repartit
à toute allure !

Quand ils apprirent ce qui était arrivé
à leur copain, les autres princes n'eurent
PLUS DU TOUT envie d'épouser
la princesse Finemouche… qui fut
très heureuse et vécut très longtemps.

L'AUTEUR - ILLUSTRATRICE

Babette Cole est née dans les îles Anglo-Normandes. Après une éducation sévère dans un couvent de Jersey, elle entre au collège d'art de Canterbury qu'elle détesta. Elle devient auteur-illustrateur de livres pour enfants, chose qu'elle désirait faire depuis son enfance, et imagine des scénarios de bandes dessinées pour la télévision.

Ses albums rencontrent un succès international constant : *Comment on fait les bébés ?*, *Raides Morts*, *Le dé-mariage* au Seuil Jeunesse, *La Princesse Finemouche* et *J'ai un problème avec ma mère* en Folio Benjamin, pour n'en citer que quelques-uns... Ses thèmes de prédilection sont ceux de la famille et de l'adolescence qu'elle traite toujours avec un humour décapant et anti-conventionnel. Babette est à l'image de ses livres : drôle et anticonformiste. Elle s'est retirée quelque temps des tourbillons de la vie pour habiter dans les marais d'Okavango au Botswana où elle partagea une hutte en terre avec les sorciers-guérisseurs indigènes.

Elle aime voyager, visiter les écoles, rencontrer les enfants, répondre aux lettres de ses fans qui viennent du monde entier et, passionnément, les animaux. Elle a beaucoup d'admiration pour Lewis Carroll, Edward Lear et Quentin Blake qui l'ont chacun à sa façon beaucoup inspirée. Elle vit actuellement dans une grande propriété à la campagne dans le nord de l'Angleterre où elle élève des chevaux.

folio benjamin